SYMUDLiW

SYMUDLiW

aNNes GLYnn

**Gwasg
Gwynedd**

Argraffiad cyntaf — Awst 2004

© Annes Glynn 2004

ISBN 0 86074 209 1

*Cyhoeddwyd ac argraffwyd
ar ran Llys Eisteddfod Genedlaethol Cymru
gan Wasg Gwynedd, Caernarfon*

I Mam, am bopeth,
ac i gofio'n annwyl am Dad

Er anwadalwch byd,
Yr un yw dyn o hyd.

CYNNWYS

NEWID MÂN

NEWID BYD ➤

'FORY-A-DDILYN-HEDDIW-A-DDILYN-DDOE'

'Mae o'r math o ddiwrnod y byddwn ni'n cofio'n union lle roeddan ni pan ddigwyddodd o, tydi?' meddai ei ffrind wrth iddi rythu ar lun o'r tyrau'n fflam ar dudalen flaen y papur newydd.

Ei llygaid wedi eu hoelio ar y rhai a ddaliwyd, yn hongian rhwng y lloriau, rhwng dau fyd. Eu sgrechiadau'n fud wrth iddynt blymio i hunllefau'r toeau gwydr a'r pafin.

'Fatha pan gafodd Kennedy ei saethu, neu pan glywson ni fod Monroe 'di mynd.'

Amneidia hithau arni. Y llynedd, bu farw'r unig un a garodd hi go iawn erioed. Chyrhaeddodd newyddion ei fynd mo'r prif benawdau. Dim ond y golofn bwrpasol. Hithau'n talu am y geiriau prin. Ac yn ei phen hi'n unig y gwelwyd *action replay* ei funudau olaf ef. Drosodd a throsodd. Yn fud. O hyd.

Amneidia. Does ganddi mo'r egni, na'r galon, i esbonio mai unffurf hollol yw newyddion ei dyddiau hi bellach. Fyth ers y diwrnod bach disylw hwnnw pryd y gwelodd hi'r seiliau'n sigo ac y dymchwelodd ei byd.

SYMUD EFO'R OES

'Dwn i'm i ba gyfeiriad mae'r byd 'ma'n mynd, wir,'
meddai'n ddagreuol. 'Does 'na'm trefn ar ddim dyddia 'ma,
dim parch. Mae fel tasa bob dim yn dadfeilio.'

Yn un o gonglau tywyllaf yr ogof laith mae ei phlant yn
piffian chwerthin y tu ôl i'w dwylo budur. Tra bo eu mam yn
galarnadu, maent hwythau eisoes yn edrych ymlaen yn
hyderus at y cam nesaf, at ddatod y cortynnau sy'n eu cydio
wrth ei barclod croen.

HI HEN ELENI GANED

Mae hi eisiau tŷ mawr crand fel Posh, gwallt aur hir fel Britney, cariad del fel un Madonna. Fedar hi ddim disgwyl nes y bydd hi'n cael gwisgo Wonderbra a *kitten heels*. Mae ganddi dyllau yn ei chlustiau'n barod. A fory, ar ôl swnian a swnian ar Mam, mae hi'n cael mynd i Topshop i brynu'r sgert fini ddu a gwyn 'na ac, os wneith hi chwarae ei chardiau'n iawn, mae'n gobeithio y caiff hi *thong* les pinc hefyd.

Mae Mari yn saith.

AGOR DRWS

'S'gynnoch chi funud i sbario?' meddai, gan lyncu ei boer yn nerfus ar riniog ei drws un prynhawn swrth ym Mawrth.

'Damia!' meddai hithau o dan ei gwynt, yn gwarafun ei bod hi'n colli diwedd *Neighbours* er mwyn rhyw lefnyn o werthwr. Ta Jehofa's ydi o? Neu'n waeth byth, Mormon. O'r Arglwydd! . . .

'S'gin i ddim diddordab, sori. Fues i rioed yn ddynas capal.'

Yn estyn am y cliciad.

'Na! Dim dyna s'gin i . . . '

'Be felly'n union? . . . '

Ond cyn bod y cwestiwn wedi gorffen ffrwydro ei ffordd allan ohoni, sylweddoli, o weld lliw anghyffredin ei lygaid a siâp ei drwyn, nad pregeth nac achubiaeth y mae'n ei gynnig iddi ond iawn am hen 'bechod'.

A'r bwndel bach a gludwyd oddi wrthi bellach ar fin croesi'r trothwy i fod yn ddyn.

FORY HEB EI DWTSHIAD

Nid yn unig y mater o fethu â bod o gwmpas i weld cyw
bach melyn y nyth yn dod i oed, yn priodi, yn cael plant
oedd o, meddyliai, wrth deimlo'r cemegau'n hitio'i stumog
unwaith eto, yn codi pwys, y cap rhewllyd yn gusan iasol ar
ei thalcen.

Ond yr holl gynlluniau oedd ganddi ar gyfer y dyfodol. Y
pethau hynny y bu hi'n eu cadw ym mlwch ei deisyfiadau,
yn eu storio fel hadau ei chynhaeaf personol hi. Yn disgwyl
am yr adeg iawn i'w tynnu allan, i gydio ynddynt, eu plannu
a'u gweld yn prifio. 'Mi wna i o fory.'

A'r cyfan yng nghadw hyd byth bellach ym mhlygion
gofalus papur sidan ei breuddwydion. Hithau'n gorwedd
yno, yn gwarafun y munudau prin, yr eiliadau na
weithredwyd arnynt. A 'fory a'i bosibiliadau dihysbydd
ynghlo rhwng pedair wal gyfyng y ward, wedi crebachu'n
ddim. Fel yr hances bapur ddisylwedd yng ngharchar ei llaw.

LÔN BACH AWYR

Mi fydd hi yno ymhen chwinciad. I lawr yr allt, heibio'r goeden griafol ar y tro, tu draw i'r ffynnon sy'n swatio yn y clawdd. Yno. Yn Lôn Bach Awyr. Ac ym mhen y lôn mi fydd ei mam yn disgwyl amdani a'i breichiau hi ar led. Yn barod i lapio ei chariad cynnes amdani fel clustog feddal.

Ac mi fyddan nhw'n sgwrsio wrth fynd o dow i dow, ac yn hel tusw o friallu a bloda menyn i'w rhoi ar y bwrdd yn y gegin wedi iddyn nhw gyrraedd adre. Ac ogla'r bloda a'r bara ffres-yn-syth-o'r-popty yn cymysgu efo'i gilydd yn braf. Fel eli mwyn sy'n gysur i gyd a hithau'n gwybod yn union lle mae hi a lle cyfarwydd i bob dim.

Ond mae 'na ryw ddynes ddiarth yn mynnu torri ar ei thraws hi bob pum munud! A dagrau'n llifo i lawr ei gruddiau hi am ryw reswm. Yn ei galw hi'n 'Mam'. Ond mae hi'n trio esbonio wrthi fod Mam yn disgwyl amdani yn Lôn Bach Awyr ac mai dyna pam ei bod hi wedi taro ei chôt amdani ac nad oes ganddi amser i sgwrsio ar hyn o bryd.

Gwely? Mae'n rhy gynnar o lawer iddi feddwl am fynd i'w gwely, siŵr. Mae'n ganol pnawn, yr haul yn denu a mi fydd Mam wedi mynd yn sowldiwr, yn disgwyl amdani ym mhen draw'r lôn.

Mae hi'n cynnig i'r wraig ddiarth ddod efo hi os basa hi'n licio. Mi fasa Mam yn medru sychu'r hen ddagra 'na mewn chwinciad iddi. Dim ond iddi ddod efo hi i lawr yr allt, heibio'r goeden griafol a thu draw i'r ffynnon.

Mae 'na gymaint o betha wedi newid, cymaint o betha wedi mynd yn angof. Ond mae hi'n cofio'n union lle mae Lôn Bach Awyr, a Mam . . .

GWERTHU

Maen nhw'n tincial, tincial yng ngwaelod ei boced, y darnau
arian gwyn. Yn ei atgoffa o sŵn yr afon erstalwm wrth iddi
ddawnsio dros y cerrig lle gwyddai fod y brithyll tew yn
cuddio. Ei fysedd yn ei helynt yn trio eu denu oddi yno. A
hwythau'n llithro o'i afael bob gafael, bob yn ail â pheidio.

Canu'r dŵr yn ei wylltio ymhen amser, ei gân fel pe bai'n
gwatwar ei ymdrech bitw, ac yntau'n troi am adre'n waglaw
a'i galon yn llosgi. A'i fethiant, eto fyth, yn pwyso arno fel
hen ddyled. Fel hen wae.

A heno, ei galon unig yn drwm er gwaethaf ei bocedi
llawnion. Tinc y darnau yno'n edliw, edliw. Cyffyrddiad Ei
rudd yn dal yn dân ar ei wefusau bradwrus.

YR EGLWYS NEWYDD

Ymlwybrant hyd ale'r addoldy ar ddechrau wythnos arall.
Syllu'n frwdfrydig o'u cwmpas. Ai'r Sul hwn y daw'r ateb
diffiniol i'w chwilio ffrantig? Yn hongian ar y datganiadau,
yn fwy na pharod i gredu'r gwirioneddau, yn estyn am y
bara a'r gwin fel pe baen nhw ar dagu am waredigaeth.

  Pererinion yr Oes Oleuedig, a'u ffydd wedi'i hoelio ar
fwrlwm geiriau'r hysbysebwyr tra bo'r Gair yn llyfr caeedig.
Yn bwrw eu beichiau i mewn i drolïau weiar aflonydd yn
hytrach nag ar y dyfroedd, wrth allor sydd bellach yn
loywach, yn fwy deniadol, nag eiddo'r llan.

E-NEGES

mae'n tanio'r peiriant. gwylio'r cyfarwyddiadau cynefin yn
rowlio i lawr y sgrîn. teipio'r cyfrinair. y cyfrin air. yr
allwedd hudol honno i fyd llawn posibiliadau!

a'i fys ar fotwm yn deffro'r cylch o fân adweithiau
electronig. a'r rheini, yn eu tro, yn ufuddhau i'w orchmynion
pendant. yntau'n frenin, yn feistr, yn gwibio ar hyd y
draffordd. yn giamstar ar lywio'i lwybr hyd ryddid y *Super
Highway*!

ac yna'r ffenest wag, y siwrnai dechnolegol ar gyffordd a'i
fysedd yn hofran rhyw ymryn uwchben y bysellfwrdd. yn
ymwroli. yn teipio'i neges herciog yn yr oriau mân pan ŵyr y
bydd hi'n cysgu, na fydd hi yno i ymateb.

pwyso'r botwm.

Send.

cymaint mwy didrafferth na 'stachu i lunio llythyr, cymaint
hwylusach na chiwio yn arogl blinedig y swyddfa bost, yng
nghynffon y casglwyr pensiwn a'r derbynwyr budd-dâl!
dipyn haws na chodi'r ffôn, trefnu cyfarfod.

a'r peth gorau i gyd? y ffaith nad oes dim angen amlhau
geiriau –

sori. popeth ar ben. diolch am yr atgofion . . .

taclus, di-boen.

Remove to trash bin?

OK!

ADDEWID

'Paid ti â dweud gair wrth neb am hyn ac mi fydd pob dim
yn iawn, gei di weld,' meddai. Ond er iddo fod yn ufudd a
chadw at ei air ar hyd y blynyddoedd fu dim byd yn union
yr un fath wedyn, yn ôl fel y gwelai ef bethau.

NEWID CYWEIRNOD

Dim ond un nodyn oedd o. Ond bu'n ddigon i droi alaw o orfoledd penrhydd yn alargan a fyddai'n aflonyddu ar ei freuddwydion am weddill ei oes.

ANWES BARDD

Dim ond â'i eiriau y gwnaeth o ei chyffwrdd hi erioed. Ond byddai'n ddigon parod i ffeirio munudau o gusanau nwydus ac oriau o anwesu rhwng cynfasau sidan am y cyffyrddiad cyntaf hwnnw o'i eiddo. Unrhyw ddiwrnod.

Yn teimlo, wrth ddarllen, fel pe bai hi'n gwylio ei hadlewyrchiad mewn drych ac yn estyn i dwtshiad blaenau ei bysedd ei hun. Y gwydr yn hollti a lliwiau cyffredin caleidosgop ei byw yn chwalu ar amrantiad. Hithau'n sbecian trwy'r agen ar y patrwm newydd, sydd eto'n rhyfedd o gyfarwydd, trwy lygaid trawsnewidiol ei ddweud.

NEWID AELWYD ➤

DAGRAU HELEDD

Ar yr wyneb mae hi'n ymddangos yn ystafell olau, braf. Y moethau diweddaraf un i gyd yno, y cyfan y gall cronfeydd arian hael ei sicrhau. A phwy sydd eisiau cyboli efo tân a channwyll y dyddiau yma beth bynnag, pan fo'r dechnoleg ddiweddaraf wrth law?

Pam felly y mae ei gruddiau'n llaith a'i llygaid, er ei gwaethaf, yn bradychu dyfnder ei gofid? Pan fo cynnydd ar bob llaw a'r dyfodol yn ymddangos yn sicrach nag a wnaeth ers tro, pam na all hi ymroi i obeithio ac ymddiried?

Cysgod Cynddylan. Yn dal i rwyfo ar draws parwydydd ei hiraeth, a'i phwyll yn simsanu. Yn ei hatgoffa o'r dolur o dan yr wyneb sglein, y brad sy'n dal i lercian yn y conglau tywyll.

AR WERTH . . .

Cymdogaeth yng nghefn gwlad Cymru. Hwylus i deithwyr lôn gyflym yr A55, datblygwyr â llygad am fargen, mewnfudwyr yn chwilio am rywle *quaint* i fwrw eu gwreiddiau bas.

Cyfleusterau llawn potensial: tri chapel wedi mynd â'u pen iddynt – posibiliadau'n cynnwys oriel chwaethus, stiwdio deledu neu gartref a fyddai'n cymryd ei le'n daclus ar ddalennau sglein y cylchgrawn *Beautiful Homes*; swyddfa bost/siop gornel wedi gweld dyddiau gwell yn gweiddi allan am *brand* go gryf, rhywbeth i ddenu'r *upwardly mobile* ifanc; caffi – Tebot-rwbath-neu'i-gilydd yn ôl yr arwydd tila sy'n crogi uwchben y drws. Newid y *décor* a gwario rhywfaint yn Ikea a dyna i chi fistro bach gwerth chweil!

Brodorion, yr ychydig o'r rheini sydd ar ôl, yn bethau digon diddrwg, didda. Ambell dderyn brith yn codi ei ben uwchben y parad bob hyn a hyn i refru am iaith, diwylliant, gwarchod tir, cymuned a ballu. Ond rhywogaeth ddigon prin i beidio â pheri pryder.

Pris i'w drafod. Peidiwch ag oedi! Perygl y bydd yn diflannu'n gyfan gwbl tra ydych chi'n meddwl am droi trwyn eich car o Fanceinion, Birmingham, Surrey . . .

IAITH Y FARCHNAD

'I wish they wouldn't do that. It's so rude, apart from the fact that it's so annoying!'

Piti. Roedd y gwerthwyr tai mor awyddus i ganmol y pris a'r golygfeydd, mi wnaethon nhw lwyddo i anghofio sôn, rywsut neu'i gilydd, fod y brodorion yn siarad iaith wahanol. Dim byd i boeni amdano, rhyw dipyn o 'local colour' dyna i gyd. Maen nhw'n deall yr iaith fain yn iawn.

'But why don't they speak it, then? Why do they insist on talking about us behind our backs in that ridiculous lilt?'

Hanes. Diwylliant. Hunaniaeth. Pethau nad ydyn nhw'n talu eu cynnwys yn hysbysebion y cylchgronau sglein, Saesneg. A'r gofod yn costio mor ddrud.

'Oh well, no doubt the locals will come round to our way of thinking eventually.'

Gwnân, beryg'.

'YN ERBYN Y FFACTORE'

'What are you staring at, Grandad? Lost your voice or wha'?'

Maen nhw'n stelcian ar y gongol, yn hongian ar sgerbwd yr hen loches bws, yn disgwyl am ddim ond trwbwl. Yn herio, yn gwingo yn erbyn trefn ac iaith ddiarth eu cynefin newydd.

Yntau, yn drwm ei glyw, yn trio dal pen rheswm.

'S'gynnoch chi ddim cartra i fynd iddo fo, hogia? Ma' hi'n dechra twllu . . . '

'Don't understand you, Grandad. It's time you were in bed, like the rest of this shitty Welsh village.'

'S'gynnoch chi ddim parch i ddim 'di mynd . . . '

'Too right, Grandad – it's late . . . ' – yn pwyntio at y watsh ddigidol â'r holl ffigiarins technolegol ar ei arddwrn. *'Late. We're the new f*****g kids on the block now.'*

Y FARGEN NEWYDD

Ac yntau wedi bod wrthi cyhyd, fe ddeuai'n hollol reddfol iddo. Y dewis a'r gosod, amcangyfrif y pwysau, y curo cymesur, ac yna'r llacio graddol, yr hollti. A'i feddwl ymhell y tu hwnt i'r ystafell gyfyng, ar wyneb gerwin y gwaith, a lleisiau ei gydweithwyr yn drybowndian oddi ar waliau eu neuadd greigiog.

Ias y gwynt yn ffcrru eu geiriau yn eu hunfan ambell ddiwrnod . . .

'Gee, Maeve, ain't this a swell little museum? Such good value. So cheap at the price!'

DYCHWELYD

'Mi faswn i'n taeru 'i fod o gymaint ddwywaith â hyn eto 'sti!'

'Be . . . y pentra?'

'Naci . . . y tŷ. Ella bod y perchnogion newydd wedi tynnu darn ohono fo i lawr. Meddwl codi estyniad.'

'Titha 'di tyfu dipyn ers hynny, cofia. Mae hi'n ddeg mlynadd ar hugain . . . '

'Ond tydw i'n cofio'r lle mor glir . . . '

'Atgof plentyn.'

'Bora oes – tydi petha felly byth yn newid, siŵr.'

'Deud ti.'

'Hola i'r boi 'na yli – mae o'n edrach fel tasa fo'n gwbod ei ffordd o gwmpas . . . 'Sgiwsiwch fi, fedrwch chi ddeud wrtha i be 'di hanas Tŷ'n Ffridd erbyn hyn?'

'Tin Fried? Just been sold – another bloody holiday home!'

FEL DDOE

'Diolch am bob dim, Mam,' meddai gan estyn am ei llaw a'i gwasgu'n dyner, dynn. Ac yn yr eiliad honno, diflannodd y blynyddoedd.

Cerddent eto'n ling-di-long i fyny'r allt o'r ysgol, swatient yn ofn melys y trên sgrech, sibrydent gyfrinachau peth-dwaetha-un-cyn-mynd-i-gysgu wrth ei gilydd. Ei hwiangerdd yn fiwsig cefndir i'w dychmygion byw a'i llaw fechan yn llacio yn ei gafael wrth i'r freuddwyd lapio ei hugan amdani yn y tywyllwch.

Gollwng gafael ymhen amser. Trio dysgu'r grefft beth bynnag. Y 'fechan' yn awchio am gael agor ei chŵys ei hun, yn ei ffordd ei hun.

Ond wrth ei gwylio'n troi i gyfeiriad ei hadref newydd, mae gwres ei diolch yn dal yn gynnes ar ei llaw wrth iddi ei chodi i ffarwelio â hi eto am y tro.

Hithau'n gwenu o ddeall fod darn o ddoe yn islais alaw heddiw, yn rhan annatod hefyd o felodi 'fory.

MATER O GYSTRAWEN

Lle buom ni, unwaith, yn 'caru', mae'n plant ni yn 'cael secs'. Lle bu'n hynafiaid yn 'bwrw eu swildod' ar ôl priodi ac yn cael amser 'gwirioneddol ardderchog', mae'r genhedlaeth hon yn 'shagio'i gilydd yn dwll' ymhen pythefnos ac yn cael amser 'rîli ffantastic'.

Yn herio'r ffiniau fel pob cenhedlaeth o'u blaenau, ar fwy nag un ffrynt.

'Get a life, Mam a Dad! Get rî-al, Cymru!'

Ond goslef eu brawddegau'n eu bradychu. Yn mynnu crwydro am i fyny'n gwestiyngar, fel pe bai dim o dan eu traed yn hollol sicr mewn gwirionedd.

Ai hiraethu y maen nhw, yn y dirgel, am ryw Wydion i weithio ei hud, i liniaru eu gweledigaeth, i fireinio eu hymadroddion briw?

RHESTRU'R BLAENORIAETHAU

Annwyl Siôn Corn,

   Diolch am ddod â'r presanta llynadd – rydan ni wedi chwara lot fawr efo nhw ond mi rydan ni'n dechra mynd 'chydig yn bôrd efo'r un petha erbyn hyn.

   Eleni, mi fasan ni'n licio:

- Playstation 2 efo'r gêmau cŵl diweddara i Trystan.
- DVD player a 'chydig o fêc-yp fatha s'gin Kylie drws nesa a'r *Mizz Annual* i mi.
- Dad – dydan ni ddim wedi'i weld o ers lot rŵan. Mae Mam yn deud 'i fod o'n byw yn bell i ffwrdd o fa'ma a'n bod ni'n well off hebddo fo. Ond os newch chi ddigwydd 'i weld o ar eich ffordd ella y basa chi'n medru gofyn i'r ceirw roi lifft iddo fo.

   Gobeithio na fydd hi'n rhy oer i chi heno. Docs gynnon ni ddim wisgi i'ch cnesu chi leni – sori! Mi ddaru Mam wagio'r poteli i gyd i lawr y sinc ar ôl i Dad fynd.

Cariad mawr,
Meleri
xxxxxx

TU CHWITH

'Dw i ofn. Paid â mynd am funud. Gafael yn fy llaw i.
Plîs? . . . '

'Mi arhosa i am 'chydig eto. Ond does 'na'm byd i boeni
amdano fo. Wir. A fydda i ddim yn bell.'

'Ond dydw i'n nabod neb 'ma. Dydi o ddim fel bod adra.'

'Matar bach fydd dod i wbod pwy 'di pwy . . . '

'Ond . . . '

'Mi fydd bob dim yn edrach yn wahanol mewn diwrnod
neu ddau. Go iawn.'

'Ond dydw i ddim isio dy weld di'n mynd. Aros . . . '

'O! Helô, Metron – jest deud oeddwn i wrth Mam rŵan y
bydd hi wedi setlo yn y cartra mewn fawr o dro, yn
bydd? . . . '

CLAWDD TERFYN

Siapio gwrych. Bu ei ddawn yn destun balchder ar hyd y blynyddoedd. Ei gymdogion yn dotio ac yn cenfigennu ar yr un pryd wrth i'w siswrn gyflawni'r gamp o lunio patrwm lluniaidd o'r canghennau anystywallt.

Ffin gymesur, daclus yn gwarchod caer ei gartref. Mor dwt a chywrain â border les y lliain bwrdd yr arferai ei gymar ei osod i de bach bob prynhawn.

Eleni, a hithau'n clafychu mewn cartref henoed, mae'r amddiffynfa werdd hithau yn dechrau dangos ei hoed. A'r tyfiant yn mynnu dirwyn ei lwybr ei hun, fel les yn datod.

'NEB YN DRYST . . . '

Y tro diwethaf y mentrodd allan o'i dŷ oedd fore Mawrth, Medi'r unfed ar ddeg, dwy fil ac un. Fyth ers hynny, bu'n wardio rhwng y pedair wal, yn dibynnu ar gardod a chyfaill, yn creu caer anorchfygadwy iddo'i hun.

'Mae petha wedi newid a does 'na neb yn dryst. Wyddoch chi ddim pwy 'di neb. A does 'na'm dal pryd y gwnân Nhw benderfynu 'mosod.'

Yn gysgod gwan o'r hyn a fu, ei wyneb yn welw a'i gyhyrau'n cloi a'i glyw yn pallu am mai'r unig leisiau y mae o'n gwrando arnyn nhw y dyddiau yma yw'r rhai byddarol hynny yn ei ben, mae'n drugaredd nad yw'r creadur yn sylweddoli'r gwir.

Mater bach y pry parhaol 'na yn y pren. A'i gnoi egnïol, cudd yn golygu y bydd y cwbwl lot yn shiwrwd dan ei draed ymhen fawr o dro. Cyn iddo gael y siawns i estyn am ei arfau, cyn sylweddoli mai oddi mewn fu'r gelyn diawl ar hyd y bedlam.

NEWID MÂN ➤

BWRW DAIL

Mae hi'n bwrw dail crin ar fy mhen i. Ac o dan fy nhraed mae'r ddaear feddal yn dechrau ildio ei harogl priddlyd, myglyd, yn mwytho fy ffroenau fel hen faneg gynnes.

A hithau'n brynhawn llariaidd, safaf dan y brigau llawn siffrwd a bodlonaf o'r diwedd ar ollwng yr haf – a'i wres a'i firi – o'm gafael.

Beth os yw'r awel yn meinio'r mymryn lleiaf? Mae'r haul yn dal yn dyner ar wegil ac ar wyneb. A choelcerth hamddenol hydref yn taflu llawn cymaint o wres â thân siaflns barbeciw haf.

Penliniaf o dan fwa'r canghennau. Gollyngaf yr haf, fesul tamaid, fel gweddi, tra bo'r dail crin yn glawio ar fy mhen i, yn fendith ruddgoch.

AR Y FFRYNT LEIN

Mater o eiliadau'n unig oedd o. Ond pan welodd hi Angau
yn taflunio ei gysgodion gwibiog hyd barwydydd cynefin ei
thad, fe'i cafodd ei hun yn syllu i fyw llygad ei 'hir gartref'
hithau am y tro cyntaf.

AROS

Ystafell aros clinig mewn ysbyty. Does dim byd mwy tebygol
o dynnu pobl at ei gilydd. Syllant ar ei gilydd yn nerfus,
crafu gwddw, brasddarllen drwy gylchgronau misoedd oed.
Cyn dechrau trio tynnu pwt o sgwrs.

Rhai na fyddent byth yn trafferthu edrych ddwywaith ar ei
gilydd yn y byd mawr y tu allan. Ond o fewn y neuadd
gyfyng hon mae pethau'n wahanol rywsut. Mae bywyd ar y
lein, y seiliau'n simsan. Ac unrhyw wên, unrhyw sylw'n
ymylu ar fod yn garedig, yn rhywbeth i fachu ynddo'n syth
fel siaced achub.

Gweld ei gilydd yn y caffi, neu yn y maes parcio wedyn, ac
y mae hi'n stori wahanol. Waeth beth fu'r dyfarniad, osgoi
llygaid ei gilydd a wnânt am y gorau. Mae bywyd yn mynd
yn ei flaen. A neb yn fodlon cydnabod y gwendid sy'n
bygwth ein baglu, yr hyn sy'n ein disgwyl yn yr ystafell
ddirgel honno ym mhen pella'r coridor hir.

CYNLLUNIO TYMOR HIR

Fu dim pall ar eu trin a'u trafod, yr ymboeni am sut y bydden nhw'n dod i ben â hi. Gydol y naw mis y bu hi'n cario'r bychan. Yn trio rhag-weld yr addasiadau, mân a mawr, y byddai'n rhaid eu gwneud. Y llyffetheiriau y byddai'n rhaid iddynt ddygymod â hwy fel rhieni newydd.

Dim caru yn y prynhawniau. Dim mwy o nosweithiau gwyllt. Dim anturiaethau munud olaf. A hwythau'n mynd ati i wneud y gorau o'u rhyddid byrhoedlog rhwng y pyliau o gynllunio, y paratoi.

Ond wnaeth dim eu paratoi nhw am y fflach o gydymdeimlad yn llygaid y fydwraig, ei chynildeb proffesiynol, a'r bychan tawel yn cael ei gludo'n gyflym i ffwrdd o'r ystafell esgor. 'Dw i'n meddwl y basa'n syniad i ni alw am yr arbenigwr . . . '

DYDDIAU DYN

Lle'r aethoch chi, y babanod bregus â'ch anadl melys a'ch
llygaid llawn ymddiried? Chi blantos ansicr eich cerddediad,
yn estyn eich dwylo tuag atom, yn erfyn am gyffyrddiad i'ch
sadio, cyn camu 'mlaen i'r antur nesaf?

    Yn goflaid annisgwyl a gipiai anadl, yn strach i gyd a wnâi
i sant droi'n bagan rhonc, yn gariad chwerw-felys, byrlymus,
yn nychu ac yn dyrchafu ar yr un pryd?

    Bodiwn trwy'r lluniau cynnar, amlinellu eich ffurfiau
diflanedig â'n bysedd. Eich hanfod mor gyfrin â gwawn
cynnes eich cudynnau cyntaf rhwng ein dwylo syn.

'PE BAWN I'N ARTIST . . . '

'Biti na faswn i'n artist. Mi faswn i wrth fy modd yn medru tynnu dy lun di'n union fel ti'n edrach rŵan,' meddai gan amlinellu ei chorff noeth â'i ddwylo gwerthfawrogol.

Hithau'n gorwedd yno, yn gwbl ddigywilydd, a gwên gyfrin fel un Mona Lisa ar ei hwyneb poeth.

Chwarter canrif yn ddiweddarach, a thynfa greulon disgyrchiant yn chwarae triciau dyddiol, slei â chyhyrau ei chorff a'i hwyneb, mae'n diolch i'r nefoedd mai i'r dosbarth nos gwaith coed, yn hytrach nag i'r *life drawing*, y penderfynodd ei gŵr hi fynd wedi'r cyfan.

SYMUDIAD STRATEGOL

'Ffwoa! Sbia ar y tits ar honna! S'nam ots gin i ga'l tama'd o
hynna. Be amdanat ti?'

Ugain mlynedd yn ôl, o glywed sen o'r fath, byddai wedi
neidio i ben ucha'r catsh, troi ar ei sawdl mewn tymer,
bygwth ysgrifennu i'r wasg am ddiffyg hawliau a pharch,
gweiddi nerth esgyrn ei phen ffeministaidd am gydraddoldeb.

Heddiw, mewn canrif newydd, a hithau wedi dysgu fod
rhagor rhwng cyfaddawd a chyfaddawd a beth yw gwir ystyr
hawliau cyfartal, mae hi'n llawer iawn mwy tebygol o
sgrytian ei 'sgwyddau mewn diffyg syndod.

Cyn troi ar ei sawdl, plannu ei phen-glin rhwng coesau'r
diawl gwirion a harthio yn ei wyneb syn: 'Cym' honna'r
cwd!'

'CHÊNJ GYSTAL Â REST' – ?

Mae'n rhaid mai dyn fu'n gyfrifol am ei ddweud y tro cyntaf. Pwy ond dyn fyddai wedi meddwl am ddatganiad mor uffernol o hurt?

Pa orffwys sydd i'w gael yn rhyferthwy anwadal yr hormonau sy'n eich codi i gopaon gobaith ac yna'n eich gollwng i'r pydew dyfnaf yn anhrugarog o ddirybudd, fel pwcedaid o hen garthion?

Pa gysur sydd i'w gael mewn gwenu ar ddynion deniadol yn y stryd a hwythau'n rhythu trwoch fel pe baech chi'n esgymun?

Pa hafan sydd i'w gael yn eich gwely'r nos, eich chwantau yn eich bodiau a'r cynfasau'n g'lymau tamp amdanoch erbyn yr oriau mân?

Pe bai'r hambygio yma yn digwydd i ddyn, 'rest' fyddai'r gair olaf ar ei wefusau. Hel mwythau a chydymdeimlad fyddai'r nod.

Stwffia'r 'chênj' meddwn innau. Sefydlogrwydd rŵls, o-cê?

RHWNG Y CYNFASAU

Bu amser pan na allai ddisgwyl i'w gael rhwng y cynfasau. Pan oedd ei dillad yn garchar amdani, pan nad oedd dim yn well ganddi na lapio ei hun amdano o dan y cwrlid ysgafn, waeth pa awr o'r dydd neu'r nos. A'r eiliadau'n troi'n funudau'n troi'n oriau'n troi'n hanner diwrnod weithiau. Ar un adeg.

Erbyn hyn, i bob golwg, mae hi'n ystyried llyfr go swmpus a photel ddŵr poeth yn gwmni llawn mor felys ar ddiwedd dydd.

Ond yn nyfnder nos bydd ei dychymyg yn chwarae hafoc, yn cadw reiat na all hi ei reoli, a'i breuddwydion yn llawn delweddau lliwgar o ddynion ifainc cyhyrog yn gwneud pob math o bethau anllad – a digon difyr – iddi . . .

Hithau'n deffro, ei choban yn socian. Cyn tynnu amdani ac ochneidio'n ddiolchgar wrth bwyso ei chyhyrau blinedig yn erbyn tirwedd gyfarwydd ei gefn solet, a choflaid gysurlon ei gluniau canol oed.

Y lleuad lawn a gâi'r bai ganddo. Y lleuad a'i hwyneb lliw llefrith a'i hatgoffai o'i chluniau gwyryfol hi. Yn anwesu. Yn clymu, tynnu . . . Ac yntau'n colli arno'n lân wrth blannu ei hun yn ddwfn yn ei meddalwch cyfrin.

'Y lleuad!' meddai, gan bwyntio at yr hoeden ddigywilydd yn sgleinio'n hollol ddiymatal ar wyneb melfed yr awyr. Yn trio esbonio wrth ei gymdogion, y mis hwn eto, pam na allai ddal un funud yn hwy. Pam fod gwylio ei golau trwy chwareli ei ffenest gyfyng yn ei ddallu. Pam fod yn rhaid iddo ruthro allan i'r nos a llinynnau ei galon yn tynnu. Pam na all o, yn ei fyw, wneud dim ond udo dan wincian gwatwarus y sêr.

MEINCNOD

Waeth faint o ddynion y mae hi'n eu cyfarfod y dyddiau
yma, waeth faint sy'n denu mwy nag ychydig o'i sylw arferol
hi, mae'r diawl yn mynnu gwthio ei big i mewn bob gafael.
A does yr un ohonyn nhw'n para'n hir.

'Dw i wrth fy modd yn dy sboelio di,' arferai ddweud
wrthi, yn y dyddiau gwyn rheini cyn iddo godi ei bac mor
ddirybudd.

Ond dim ond rŵan y mae hi'n dechrau sylweddoli gwir
ystyr y gair.

'CHWILIO GEM . . . '

Bu'r misoedd cyntaf hynny yn ei gwmni ymhlith y rhai hapusaf a brofodd erioed. A hithau'n grediniol mai dyma'r un o'r diwedd, yr un y bu hi'n chwilio amdano gyhyd. Yn ymhyfrydu yn ei wên ddioglyd, yn boddi yn lliw gwinau ei lygaid. A'r rheini'n adlewyrchu gwawr newidiol y dail uwch eu pennau wrth iddynt nesáu at eu tymp.

Hyd nes y daeth y bore hwnnw pryd y sylwodd hi pa mor swnllyd y llepiai ei baned wrth y bwrdd brecwast, pa mor gam oedd ei ddannedd isaf, pa mor gyffredin mewn gwirionedd oedd ei ddawn dweud. A'i siom, fel barrug cyntaf y gaeaf, yn gorwedd yn grystyn di-ildio ar wyneb ei chalon grin.

YR HOELEN OLAF

Nid yn gymaint mai enw dyn arall sydd bellach yn mwytho ei gwefusau wrth iddi ddeffro o'i breuddwydion yn yr oriau mân, ond y ffaith ei bod hi wedi rhoi'r gorau i'w alw ef yn 'cariad'.

Dyna wir ddagrau pethau, synfyfyria, wrth i nwy'r ecsôst ei suo i drwmgwsg yn amlosgfa'r wawr.

Y TRISTWCH YN YR HESG

'Glywi di'r sŵn 'na?'

'Be?'

'Yr hesg. Yr awal 'di codi. Yn aflonyddu arnyn nhw.
Glywi di? . . . '

'Ty'd, wir Dduw! Ma'r lle 'ma'n rhoi'r crîps i mi. A ma'
'nhin i'n cyffio yn fa'ma.'

'Ond gwranda . . . '

'Ar be? Ti'n dechra mynd yn sofft arna i? Ty'd! Ma'r sodla
uchal 'ma'n dechra suddo . . . '

'Gwranda! Fedri di ddim clŵad yr hira'th ynddo fo? Fatha
sŵn gwynt ar y foel yng nghanol gaea. Fatha pan mae o'n
trio gwthio ei ffordd trwy gil y ffenast. Yn crio . . . '

'Blydi hel! Ti'n dechra colli'r plot dwa'? . . . '

Ac yntau'n sylweddoli mwyaf sydyn pam y bu ei galon yn
teimlo mor drwm . . .

DERYN DRYCIN

Y prynhawniau golau, mwyn sy'n codi'r hiraeth mwyaf arni amdano. Pan fo'r tonnau'n pefrio fel yr arferai ei lygaid yntau wneud, a brwyn y twyni'n moesymgrymu yn yr awel ysgafn, yn ei hatgoffa hi o'i amrannau hir.

Ar brynhawniau felly bydd cerdded traeth mor galed â dringo llethr ysgithrog, a'r heli ar ei gwefus yn frath ciaidd sy'n dannod ei cholled iddi.

Rhowch iddi ddyddiau sy'n gwegian gan gymylau ac y mae hi dipyn hapusach ei byd. Bryd hynny gŵyr y gall ymgolli yn ei gwae, na fydd 'na fawr o dystion i'w gofid ar y pafin tywod.

Bryd hynny gŵyr y gall agor y fflodiart led y pen, ac y bydd rhyddid o fath i'w deimlo wrth i'r dafnau hallt blethu'n un â'r glaw sy'n chwipio ei gruddiau diymgeledd.

ARALLGYFEIRIO

Bu'n dalcen caled cyhyd. Yn dygnu arni â gwên, yn rhygnu byw ar gardodau, yn smalio nad oedd ots ganddi pa mor llwm yr aelwyd, pa mor ddiffaith y ddaear o dan ei thraed.

   Ond yma, yng nghorlan eu coflaid, a chuddfannau tyner y ddwy ohonynt yn effro, agored i'w gilydd, gŵyr hithau bellach union ystyr 'medi'r cynhaeaf'.

NEWID GÊR

Does 'na ddim byd gwell na chael diosg eich dillad gwaith ar ddiwedd diwrnod caled, nag oes? Fedra i ddim meddwl am unrhyw beth brafiach. Ambell ddiwrnod, bron na fedra i fyw yn fy nghroen yn meddwl am y peth.

Fedra i ddim disgwyl i gael llacio'r tei myglyd, ei luchio fo i ben pella'r stafall wely, camu allan o'r siwt lwyd, cael plesar anghyffredin yn troi'r crys gwyn a'r golar startsh yn belan feddal rhwng fy nwylo, cyn ei stwffio hi'n sgrwtsh i waelod y fasgiad olchi efo'r sana a'r trôns diddychymyg.

Sefyll yno yn noethlymun groen am funud neu ddau wcdyn cyn dechrau ar y ddefod nesaf, yr un mor bleserus. Y dewis a'r dethol. Yr ansawdd, y lliw, y toriad a'r gwneuthuriad.

Y bra a'r *panties* sidanaidd, y sgert felfed, y flows lliain main, y ffrog gotwm ysgafn 'na sy'n anwesu fy nghroen i fel telyneg . . .

Fel roeddwn i'n dweud wrth un o 'nghydweithwyr i yn y banc gynnau, does 'na ddim byd i guro'r teimlad 'na o ddiosg eich dillad ar ddiwedd diwrnod caled o waith. Rhyw sbio'n syn arna i wnaeth o hefyd.

Ond efallai y daw o i ddeall be sydd gen i cyn bo hir. Os faga i'r plwc.

'A'M TRAED YN GWBL RYDD . . . '

'Tydi o wedi torri, deudwch? . . . Cradur!'

Fel tasa fo'n methu dilyn ystyr brawddeg na dirnad ystyr byw am nad yw ei dafod bellach yn medru lapio'i hun yn ddeheuig o gwmpas y geiriau!

'Ers faint 'dach chi yn y cartra rŵan?' – yn rhy uchel o lawer fel pe bai o wedi colli ei glyw mwyaf sydyn hefyd.

Mae'n codi dau fys ar y ddwy ohonynt, yn y dull parchus wrth gwrs. Bu'n weinidog yr efengyl ac y mae rhai arferion sy'n anodd eu gollwng.

'O! Bythefnos! . . . Noson dda i'r Tân Gwyllt? Clir. Llonydd.'

Pwyntio bysedd esgyrnog tuag at yr awyr sy'n dawnsio â mellt lliw, fel pe baen nhw'n trio dandwn plentyn, tynnu ei sylw oddi wrth ryw feddyginiaeth ych-a-fi.

'Sguthanod uffar!' meddai, mwyaf sydyn, yng nghilfachau direidus ei feddwl. 'Uffar, uffar, uffar!' A'r rheg fel gwin cynghanedd bersain ar ei dafod diffaith.

Gwenu'n gam. Profi gwefr yr hualau'n llacio. Yntau'n saethu, fel y rocedi, uwchlaw cymylau confensiwn. Gwirioni ar rym y rhyddid i ddweud ei ddweud o'r diwedd. Heb i neb wybod!

TRO YN Y GYNFFON

'Dos o'ma'r uffar hyll! Faswn i ddim isio dy ff**** di tasa ti'n mynd ar dy linia!'

A hithau'n un o bileri'r Achos ym Methania ar hyd y blynyddoedd ac yn hen ferch hyd at gwlwm tyn olaf ei hesgidiau buddiol, mae hi bellach yn rhegi yn wynebau ei chyd-flaenoriaid fel hen longwr. Yn ei dychymyg chwâl mae ganddi gnwd o ddynion yn ysu amdani ym mhob porthladd.

Ei geiriau syber yn diflannu mor gyflym â chelloedd allweddol ei hymennydd. Ond ei hysbryd, fu dan warchae tyn ganddi ar hyd ei hoes, yn mynnu cael y gair olaf, yn magu adenydd lliwgar cyn paratoi i hedfan i ffwrdd uwchlaw'r tonnau du.

SÊL GENHADOL

Mi fasa'r bloneg y mae hi wedi ei golli yn ystod y chwe mis diwethaf yn ddigon i lenwi o leiaf tri neu bedwar troli o Tesco. Mae hi'n ymhyfrydu yn y ffaith y gall hi amgylchynu ei harddwrn â'i bys a'i bawd ac yn lle'r 'dolenni cariad' a arferai rowlio dros dop ei jogars â'r lastig helaeth mae wast fach dwt sy'n ffitio'n daclus i mewn i'w Levis *bootleg*.

Ond gair o rybudd. Y tu mewn i'r fframwaith main mae pladras nobl yn ysu am ddihangfa. Yn blysu chips a chyrri wedi eu golchi i lawr â Chôc, yn dyheu am suddo at ei cheseiliau mewn hufen dwbwl, yn llunio ffantasïau cymhleth am greu *nouvelle cuisine* yng nghwmni Gary, Dudley, Jamie . . .

Ond fel unrhyw un a gafodd 'dro' erioed mae'n selocach na'r selogion. Ac os oes raid iddi hi weithio mor galed i wrthsefyll ei dyheadau dyfnaf, wel, pam y dylai unrhyw un arall eu mwynhau nhw?

Felly pan welwch chi hi, yn hysbysebu ei sesiynau colli pwysau yn eich papur lleol, mewn cylchgrawn neu ar y bocs, â sglein beryglus yn ei llygaid, peidiwch â chael eich hudo. Mi wnaiff hon eich bwyta'n fyw.

Y CI DU

Hanner y ffordd i lawr y stryd fawr oedd hi, tri drws ymlaen
o Marks ac o fewn dau ddrws i Woolworths i fod yn fanwl
gywir, pan deimlodd ei anadl sur o ar ei gwegil.

Heb iddi orfod edrych dros ei hysgwydd, gallai ddychmygu
ei weflau'n dreflo a chlywed ei dafod yn llepian yn awchus.
Ac erbyn iddi gyrraedd Bon Marche ym mhen y stryd, a'r
modelau yn y ffenest fel pe baen nhw'n ysgyrnygu arni yn eu
siwtiau crimplîn, gwyddai ym mhwll aflonydd ei stumog na
fyddai'n mentro allan am rai wythnosau eto.

Hyd nes y byddai pwys ei bawennau budur ar ei brest hi
wedi llacio a hithau, unwaith eto, wedi llwyddo i ddatod y
tennyn sy'n eu cysylltu mor anghyfforddus, mor anhrugarog
o agos.

'Tydi o'n chwythu'n oer a phoeth, deudwch? Faswn i ddim yn mentro rhoi wya' dano fo, saff i chi.'

Am nad iâr ydw i, y jolpan wirion! meddai yntau rhwng ei ddannedd, yn cadw llygad barcud ar y pafin. Yn trio cael trefn ar ei feddyliau gwibiog, yn trio anadlu'n ddwfn fel y dysgodd y therapydd iddo. Rheoli ei anesmwythyd. Canolbwyntio.

'Rêl ceiliog gwynt!' meddai ei chydymaith wedyn, a'r ddwy yn ei ddilyn o gil eu llygaid, fel cathod ffroenuchel yn ei lordio hi ar fuarth ffarm.

Pam felly eu bod nhw'n rhythu mewn cymaint o syndod pan mae o'n troi ac yn bygwth eu pigo, yn ysgwyd ei adenydd yn fygythiol yn eu hwynebau slei? A'r geiriau 'Dimbach' a 'seilam' yn diferu fel hufen wedi suro dros eu tafodau bach cysetlyd.

Y FFIN

Mae hi'n ffin mor denau 'tydi? Wrth ymlacio ar ddiwedd diwrnod caled mae'r diferion cynta 'na sy'n mwytho eich corn gwddw chi fel balm, a chonglau caled eich byw yn dechrau llyfnu.

Ond rhywle rhwng y ddau neu dri gwydraid nesaf ac y mae'r bwganod yn eu holau a hithau'n ras rhyngoch chi wedyn. Am y gorau i gadw cow ar eich gilydd, fel gornest focsio orffwyll, a'r rowndiau'n troi'n fwyfwy chwil.

Mae'r ffernols i'w gweld yn ennill yn amlach y dyddia yma. Minna'n dechra blino ar deimlo brath y rhaffa ar fy nghefn. Yn trio'i chracio hi. Yn dal i chwilio. Fel y cradur 'na a'i beiriant ar draeth, yn gobeithio am drysor dan y garrag nesa, neu'r nesa, neu'r nesa wedyn.

Mae'r peth yn dechra fy nrysu i. Oes 'na rywun allan fan'na fedar ddeud wrtha i lle'n union mae 'jest digon' yn troi'n 'ormod'?

MAN GWYN

'Na!' meddai'r rhieni wrth y bychan, cyn gynted â'i fod o wedi camu allan o'i grud. 'Paid â chyffwrdd! Paid â mynd i fan'na! Paid â mynd rhy bell!'

'Na!' meddai'i athrawon, pennaeth, rheolwr.

'Mae'n bwysig dy fod ti'n gwbod be 'di'r ffin. Be 'di hyd a lled petha. Be sy'n dderbyniol. Aros di'r ochor yma i'r ffens ac mi fyddi di'n iawn.'

'Na!' meddai ei gariad un noson. Ac yntau'n anwybyddu'r gair am unwaith yn ei oes, am ei fod yn gwybod ym mêr ei esgyrn mai 'Ia!' y mae hi'n ei feddwl mewn gwirionedd.

Pam felly y mae croesi'r ffin hudol honno wedi'r holl amser yn teimlo'n rhywbeth mor ddigyffro, mor wag? A'r borfa welltog fu'n glustog i'w freuddwydion gyhyd yn ddim ond tir diffaith o dan ei wadnau blinedig.

PLICIO

Mae 'na rai merchaid sy'n edrach yn anghyfforddus hollol mewn dillad. 'Dach chi'n gwbod y teip dwi'n 'i feddwl. Maen nhw fel eirin aeddfad yn ysu am gael 'madael â'u crwyn, a rhywun yn dyheu am gael ei blicio oddi arnyn nhw er mwyn cael suddo ei ddannadd yn y cnawd cynnas 'na o dan yr wynab.

Un felly ydi Llinos. Er iddi wadu'n ddu'n las ei bod hi isio diosg y cwbwl o 'mlaen i, mi fedrwn i ddeud arni fod yr holl hacna 'na'n pwyso ar ei gwynt hi. Ac erbyn hyn mae hi'n edrach yn hollol gartrefol, mor noeth â'r dydd y ganwyd hi, ar wynab y dwfé.

Ella y dylwn i feddwl am roi rwbath drosti erbyn hyn hefyd. Mae ei chroen hi'n bygwth newid 'i liw braidd, yn dechra drewi a gollwng fel hen afal sydd wedi bod yn yr haul yn rhy hir . . .

CHWARAE RÔL

Deg munud i fynd ac y mae ei fol yn dechrau corddi o ddifri, y llinellau cyfarwydd yn troi'n un slwtsh yn ei feddwl, ei dafod yn un cwlwm chwithig, sych.

Trio anadlu'n araf, ddwfn. Syllu yn y drych. Gwneud 'stumiau mewn ymdrech i lacio'r cyhyrau.

Un funud, ef yw Kenneth Branagh yn *Henry*. Symudiad cynnil â'i aeliau, llygaid yn llawn gwae – a hwnnw ddim yn un gwneud – ac y mae'n Daniel Day Lewis yn *Hamlet*. Ond gwell peidio â meddwl gormod am hwnnw, druan. Mwy buddiol fyddai efelychu Philip Madoc yn *Siwan* dan yr amgylchiadau.

Cnoc ar y drws. O'r nefoedd!

Ei wraig. 'Ti am ddod i lawr i'w croesawu nhw, cariad? Mae eu car nhw newydd droi i mewn i'r dreif.'

Yntau'n codi'n simsan, yn llyncu ei boer yn galed, wrth iddo baratoi i chwarae ei rôl anoddaf un. Ef ei hun.

CHWARAE DUW

'Hei! Chdi! Chdi sy'n gyfrifol am y sioe bìn 'ma 'de? Yli, dw
isio i chdi wbod nad ydw i ddim yn mynd i ddiflannu heb
ffeit. Dw i'n gwbod yn iawn be sy gin ti dan sylw. Rhyw
dincran fan yma, potshian fan acw, dechra 'nghael i i 'neud
petha na faswn i byth bythoedd yn breuddwydio 'u gneud.

'Affêr wsnos yma, brecdown mewn rhyw chwech wsnos,
mwrdwr ymhen chwe mis. A dyna hi. Ffinito! I lawr y
tiwbia. Ta-ra Tyrone. Helô i ryw bansan gwynab babi sy
prin allan o'i glytia. A'r cwbwl er mwyn trio codi'r *ratings*.'

Mae'r awdur sgriptiau yn estyn am ffàg arall i drio clirio'i
ben. Taro cipolwg nerfus ar ei watsh. Dros ei ysgwydd. Yn
ôl wedyn at y sgrîn wag. Mae hon yn mynd i fod yn noson
hir o flaen y cyfrifiadur.

Does 'na ddim byd gwaeth na pharatoi i ladd cymeriad.

ARWR CYMRAEG

Ac fe'u gwnaethant yn dduw. Yn hongian ar bob gair o'i eiddo, yn ei glodfori'n llafar, llaes, yn ei ddyrchafu uwchlaw'r angylion, ei ganmol ym mhob porth posib.

Magodd adenydd, dechreuodd hedfan y tu hwnt i gyfyngiadau eu byw cyffredin, aeth ati i addurno sgerbwd brau ei ddyheadau â chnawd gloyw. Ac o sylweddoli hynny, fe droesant arno.

Eu hanadl, wrth iddynt sibrwd amdano y tu cefn i'w dwylo, yn chwerw gan hen eiddigedd, a'u llygaid yn serennu wrth iddynt ddychmygu trywaniad cyntaf y gyllell farwol yn ei gefn.

Ar yr wyneb, pawb yn eu helynt yn gwadu eu bod yn rhan o'r cynllwyn. Ond, yn y dirgel, eu traed aflonydd yn ysu am fod ymysg y rhai cyntaf i roi cic i'w fwndel o esgyrn sychion. Yn dyheu am gael eu clywed yn disgyn yn glewt i'r llysnafedd sy'n llechu ar waelod y pwll.

TROSI

'Mae 'na rai pethau sy'n amhosib eu cyfieithu. Nid am nad ydan ni wedi bathu'r geiriau eto ond am eu bod nhw y tu hwnt i eiriau,' meddai'r tiwtor.

A dyma ddechrau meddwl . . .

Y gwawn bach meddal 'na sy'n swatio yn leinin poced eich côt, y teimlad 'na – cyn ildio i anwes cwsg – o blymio i ebargofiant, yr artaith chwerw felys 'na o fod â gair yn sownd ar flaen eich tafod ac yn methu â'i ryddhau. Y dyhcu am y rhywun neu'r rhywbeth annelwig 'na sy'n chwarae mig pryfoclyd a'ch breuddwydion, ynghwsg ac yn effro.

A chithau'n methu'n glir â chael gwared ar yr ysfa, a hwnnw'n mynnu plycio dan yr wyneb fel hen gur, a chithau'n rhoi cynnig ar bob math o eli i drio'i leddfu, a'r gwayw yn dal mor gynnil, hegar ag erioed. A chithau'n methu . . .

Oes, mae 'na rai pethau sy'n amhosib eu cyfieithu. Am fod y geiriau'n strancio mynd eu ffordd eu hunain, waeth faint y gwnewch chi drio'u chwipio nhw i drefn ddwyieithog.

MEWN GAIR

Dy 'hiliaeth' di yw fy nghenedlaetholdeb i. Fy ngwreiddiau i sy'n 'gulni' i ti. Lle chlywi di ddim ond 'seiniau gyddfol' a 'threigladau cymhleth', i mi dyma'r allwedd hud sy'n agor y storfa o eiriau a delweddau sydd â'r gallu i'm codi i fyd uwchlaw'r angylion.

Felly, er gwaethaf dy hyder yn dy 'ehangder' di, mae 'nghalon i'n gwaedu drosot oherwydd dy undonedd monoglot.

STREJIO

Am yr awdur:

Ganed o fewn tafliad carreg i un o ardaloedd mwyaf difreintiedig y Brifddinas (*Cyncoed a dweud y gwir, ond mae cysgod Sblot yn gwneud mwy i'r* street cred *rywfodd*). Wedi gadael ysgol â llond dwrn o gymwysterau (*10 TGAU A* a thair Lefel A, ABB, ond dyw swots ddim yn cŵl, nagdyn?*), treuliodd flwyddyn yn byw ar y gwynt ac yn cysgu dan y sêr tra oedd yn penderfynu ar y cam nesaf (*gwarchod villa fy rhieni yn Mallorca, gweithio yn y bodega lleol, colapso'n chwil yn yr ardd ambell noson*), cyn mynd i'r Brifysgol yn Aberystwyth lle y llwyddodd i ennill gradd gymharol barchus (*Athroniaeth, dosbarth cyntaf, myfyriwr y flwyddyn*). Ers hynny bu'n gweithio mewn bistro, ar safle adeiladu, mewn bar (*tra oedd yn gweithio tuag at ei radd Ph.D.*).

Hon yw ei nofel gyntaf.

Meddai: 'Mae hi'n tynnu ar fy mhrofiad o fyw ar "wyneb y graig" ar ddechrau canrif newydd ac y mae'n edrych ar y berthynas rhwng y rhai sydd ar y cyrion a "phrif lif" cymdeithas. Mae'r strwythur yn fwriadol annelwig er mwyn cyfleu'r tyndra gwaelodol, ac mewn ymdrech i dorri tir newydd dyw'r gyfrol ddim wedi cael ei rhannu'n benodau pendant.' (*Rhywbeth y gwnes i ei goblo at ei gilydd un penwythnos chwil mewn gwirionedd, gweld cyfle am grant, chwe mis arall o odro'r system. Ond 'na fe, mae adolygwyr Cymraeg mor naïf yn dy'n nhw? . . .*)

CREU PENAWDAU

Rhyw stori ddigon diniwed oedd hi yn y bôn. Ond roedd hi'n Ŵyl y Banc. Newyddion mor brin â gwleidyddion egwyddorol. Golygydd newyddion dan bwysau, cyw gohebydd yn ysu am wneud ei farc.

Cryfhau ambell ansoddair, hepgor ambell 'ond' ac 'efallai', troi 'anghytuno' yn 'ymosodiad', 'lled awgrym' yn 'ffaith'.

Ac erbyn canol bore trannoeth, bywyd dau wedi ei droi wyneb i waered. Peiriant y Wasg wedi hen symud ymlaen i lunio penawdau breision diwrnod newydd.

CLUST I WRANDO

'Ond dim dyna wnes i ddeud wrtho fo o gwbwl! Mae'r diawl 'di rhoi geiria yn fy ngheg i. Fynta'n wên deg i gyd ar y rhiniog 'ma, yn holi be oeddwn i'n 'i wbod am deulu'r hogan fach 'na sydd wedi bod ar goll ers dros wsnos rŵan.

'Oedd o i weld yn hogyn mor glên, amsar i wrando gynno fo. Nid fatha'r *home help* surbwch 'na efo ceg fatha tin iâr, sy'n drewi o fwg ac yn siarad drwy'i dannadd.

'Ac am fy nhraffarth dyma fi'n sbloetsh i gyd ar draws y dudalan flaen a neb isio torri gair 'fo fi ar hyd y lle 'ma, neb isio gwrando ar fy ochor i o'r stori, fel arfar . . . '

'Dim ond pum munud oedd hi allan o 'ngolwg i. O'n i'n meddwl ei bod hi'n hollol saff. Sut oeddwn i i fod i wbod bod 'na seico'n rhydd? Taswn i'n cael fy nwylo arno fo, mi faswn i'n 'i dagu o. Ond waeth faint geith o, wneith hynny byth ddod â Leanne yn ei hôl,' meddai ei mam, mewn cynhadledd i'r wasg a drefnwyd wedi arestio dyn lleol deugain oed ar amheuaeth o lofruddio ei merch.

Ychwanegodd yr hoffai ddiolch i'r wasg a'r cyfryngau am eu cefnogaeth yn ystod yr wythnosau diwethaf. Meddai Mrs Parry, sy'n rhiant sengl â thri o blant ifanc o dan chwech oed: 'Wn i ddim be faswn i wedi'i wneud heboch chi, wir. Yn tynnu sylw. Yn cadw'r stori'n fyw. Mae hi'n mynd i fod yn anodd ailafael . . . '

A dagrau ei hiraeth cymhleth am a fu yn cael eu godro fesul defnyn gan y camerâu hollbresennol.

FFEIRIO LLE

'Mi faswn i'n rhoi'r byd am gael bod yr ochor arall i'r
cowntar,' meddyliai seren y sioe wrth baratoi i wynebu'r rhes
o gamerâu, y cwestiynau digywilydd a'r honiadau disylfaen
am ei chariad diweddaraf.

Hi, a fu unwaith yn chwenychu'r *Champagne brut* a'r
danteithion drudfawr a wibiai o flaen ei llygaid, wrth ei thil
yn Tesco, yn breuddwydio am harddu tudalennau *Hello!*
uwch bipian y codau bar.

Ac o gael ei dymuniad, yn darganfod fod mwy i'w dalu na
phris y nwyddau'n unig. Atyniad y 'cynnig arbennig' yn
dechrau colli ei hud.

'A GOFYN GWAELOD POB GOFYN . . . '

'Sut fasach chi'n ei disgrifio hi, felly?'

Mae'n dibynnu'n union pwy rydych chi'n ei holi:

'Mae 'na ryw gwlwm cynnil yn eich cydio chi wrth eich plentyn cynta, does? Dwi'n dal i weld fy "hogan fach" swil ynddi mae'n siŵr gen i . . . '

'Y chwaer "fawr". Llond trol o hyder, dipyn o fòs, ond mae 'na ganol meddal iddi.'

'Rydan ni'n briod ers dros chwarter canrif. Fy ffrind gora. Creadigol, byrbwyll, diddal . . . '

'Mam ydi Mam 'de? Mae hi'n ffysio gormod, yn medru bod yn reit hen ffasiwn weithia, ond mae hi bob amsar yno pan mae petha'n mynd yn flêr.'

A hi ei hun? Yn holi, yn yr oriau effro mân. Pan fo bywyd yn rhoi ambell glustan mwy hegar na'i gilydd iddi. Pan fo'r cread weithiau yn rhoi cip ysgytwol iddi ar ei wir liwiau.

Ai'r darnau clytwaith a wnïwyd at ei gilydd dros y blynyddoedd yw'r gynfas gyfan? Neu a oes 'na ddarn yn dal i swatio yn rhywle, yn disgwyl i gael ei osod yn ei le? Ac arno, wedi ei frodio'n bwythau cymhleth, yr ateb cyflawn i'w holi hir:

'Pwy wyf fi?'